Edición original: **OQO Editora**

© del texto	José Campanari 2008
© de las ilustraciones	Jesús Cisneros 2008
© de esta edición	OQO Editora 2008

Alemaña 72	36162 PONTEVEDRA
Tfno. 986 109 270	Fax 986 109 356
OQO@OQO.es	www.OQO.es

Diseño	Oqomania
Impresión	Tilgráfica

Primera edición	mayo 2008
ISBN	978-84-9871-048-9
DL	PO 256-2008

José Campanari

Ilustraciones de Jesús Cisneros

¿Y yo qué puedo hacer?

OQO EDITORA

En la cuarta planta
de un edificio sin ascensor,
de un barrio con calles arboladas,
de una de esas ciudades atiborradas de gente,
vive el señor Equis.

Todas las mañanas,
mientras toma el desayuno,
el señor Equis lee el periódico…
sin saltarse un punto ni una coma.

Algunas noticias no le mueven un pelo,
otras le dibujan una sonrisa
y muchas le dan escalofríos
desde el dedo gordo del pie
hasta la punta de la nariz.

Entonces,
el cuerpo se le llena de preocupaciones.

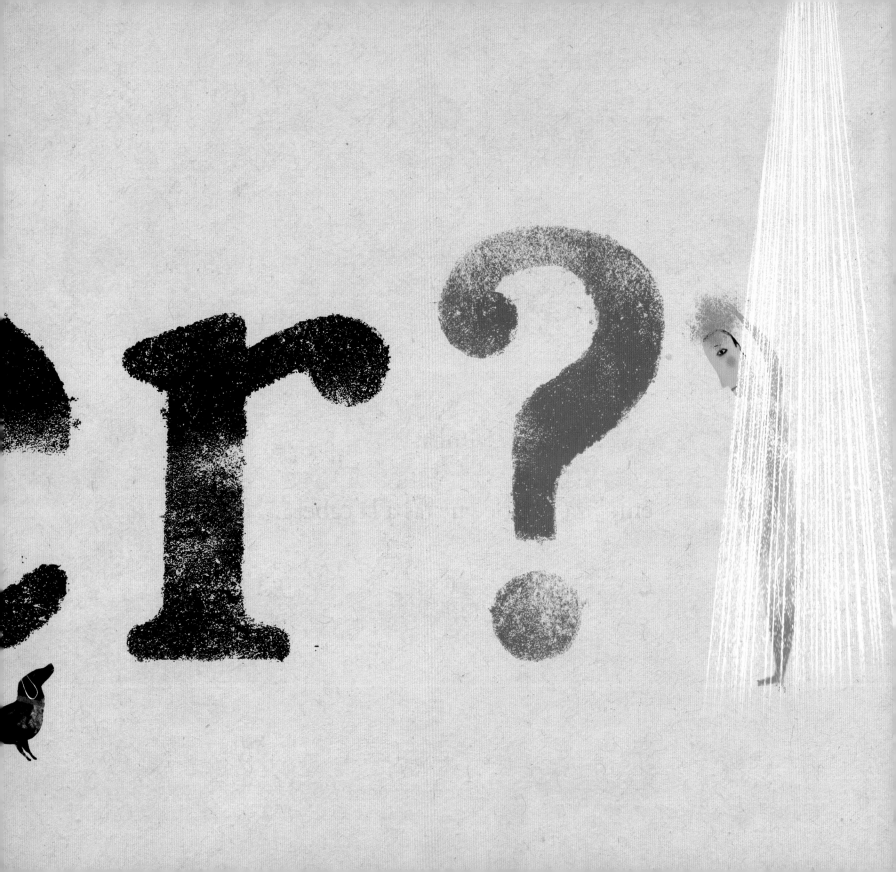

Después de desayunar,
el señor Equis,
lleno de preocupaciones,
se mete en la ducha.

Mientras se enjabona,
una pregunta
empieza a darle vueltas a la cabeza:

¿Y yo qué puedo hacer?

Cuando sale del baño,
lleno de preocupaciones
y con la pregunta dándole vueltas a la cabeza,
se asoma a la ventana
para ver cómo está el tiempo.

Pero la pregunta
le tapa los ojos,
se le mete en la nariz,
le entra por las orejas…
y el señor Equis
no puede ver ni oler ni oír…

Entonces
el señor Equis cierra la ventana
y se viste con esfuerzo
(tan lleno de preocupaciones está
que la ropa le queda un poco ajustada).

Finalmente sale de casa
y se va en coche al trabajo.

Durante todo el día,
el señor Equis es incapaz de concentrarse
(lleno de preocupaciones
y con la pregunta dándole vueltas a la cabeza,
es difícil hacer las cosas bien).

Cuando acaba de trabajar
vuelve a casa;
y, después de cenar,
se va a la cama.
A veces,
las preocupaciones no lo dejan dormir.

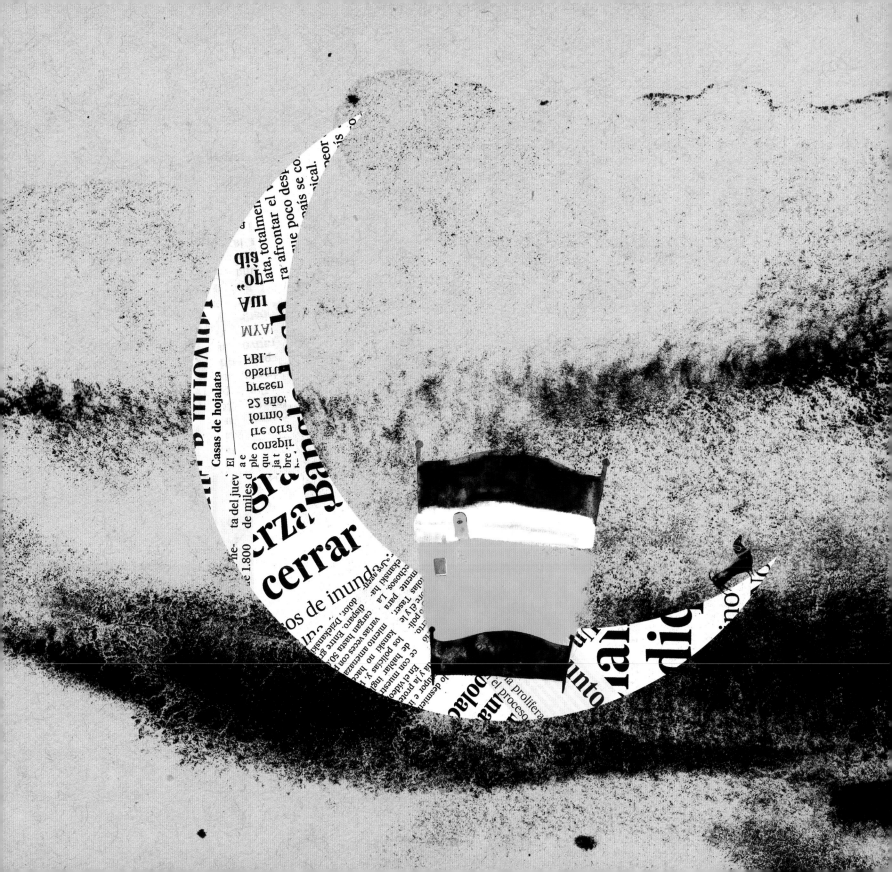

Una noche, después de lavar los platos,
lleno de preocupaciones
y con la pregunta dándole vueltas a la cabeza,
el señor Equis se sentó a leer en el sofá;
y tan cansado estaba
que se quedó dormido
con la boca abierta.

La pregunta vio el agujero
y entró tímidamente,
solo por curiosidad.

Después de pasearse por el paladar
y jugar con la campanilla,
se acomodó en la lengua
y se quedó allí toda la noche.

A la mañana siguiente,
el señor Equis despertó un poco tarde.

Leyó sólo los titulares de las noticias.

Se duchó a toda velocidad.

Luego, se asomó a la ventana
y pudo ver el cielo claro,
oler las flores del balcón de la vecina,
oír el canto de los pájaros…

Entonces abrió la boca
y, de la punta de la lengua,
salió la pregunta:

¿Y yo qué puedo hacer?

La vecina del tercero
salió al balcón y dijo:

— **Puede comprarme el pan.**
Me duele una pierna
y no soy capaz de bajar la escalera.

El señor Equis no pudo decir que no;
y, antes de que cerrara la boca,
la pregunta volvió a acomodarse
en la punta de la lengua.

Al día siguiente,
cuando el señor Equis
iba a montar en el coche,
la vecina del primero
salió gritando con su hijo en brazos:

– ¡Mi niño tiene mucha fiebre!

Entonces el señor Equis abrió la boca
y la pregunta salió:

¿Y yo qué puedo hacer?

La señora se acercó y dijo:

– Puede llevarme al hospital.
Con el niño así,
no me atrevo a conducir.

El señor Equis no pudo decir que no
y la pregunta volvió a acomodarse
en la punta de la lengua.

El domingo, mientras paseaba por el parque,
al pasar junto a un anciano
que estaba sentado en un banco,
el señor Equis escuchó un ruido extraño.

El anciano lo miró y dijo:

– ¡Es mi estómago!
Hace días que ruge como un lobo,
pero no tengo nada que darle…

El señor Equis,
que ya sabía lo que tenía en la punta de la lengua,
abrió la boca
y la pregunta salió con fuerza:

¿Y yo qué puedo hacer?

El anciano sonrió
(primero con los ojos, luego con la boca)
y dijo:

– Puede invitarme a comer.

Al señor Equis
le pareció buena idea
y se fueron a casa
a preparar una suculenta comida.

Desde entonces,
todas las mañanas,
mientras toma el desayuno,
el señor Equis lee el periódico…
sin saltarse un punto ni una coma.

Algunas noticias no le mueven un pelo,
otras le dibujan una sonrisa
y muchas le producen escalofríos
desde el dedo gordo del pie
hasta la punta de la nariz.

Pero el cuerpo ya no se le llena de preocupaciones,
porque sabe que, en la punta de la lengua,
tiene la pregunta dispuesta a salir…

También sabe
que siempre que la pregunta sale de su boca,

alguien le contesta.